JN184669

おにのめん

むかしは、田舎の家の子どもたちは、
「奉公」といって、大きなお店などに
すみこみで、はたらきにでていたもので、
このお春も、親もとをはなれて、
河内屋という荒物問屋で、
はたらいておりました。
しごとは、そうじ、せんたく、子守りなどで、
きょうも赤ん坊をおぶって、
いつものように道具屋のまえに
やってきました。

「おじょうちゃん。まい日
わしんとこの店きて、このおめんを
じーっとみとるけど、おめんに
なんかあるのんか」
「あのな、このおめんの顔、
あたいのおかんに、そっくりなんや。
そやからここにきて、おかんを
おもいだすんや」
「そうかあ、それやったら
こうていったらええやないかあ」
「お金あらへん」
「そりゃ、あかんわなあ」
道具屋のおっちゃん、
おめんをじーっと
みつめるお春をみて、
しばらくかんがえこんでおりましたが、

「よっしゃ、ほたらな、
ほたら……、ほたら……
……、
ほんまに、お金あらへんのんか」
「あらへん」
「まあ、そうやろな……、
ほんなら、このおめん、
おじょうちゃんに、
やるさかい、もっていき」
「おっちゃん、ほんまか」
「ああ、ほんまや。だいじにしいや」
「おおきに」
お春は、なんどもおれいをいって、
おめんをうけとると、
お店にかえり、じぶんのへやの
たんすのひきだしに
しまいました。

それからというもの、
お春は、しごとのあいまに
たんすのひきだしをあけ、
おめんをみては、さびしさを
まぎらわしておりました。

暮れもおしせまったある日のこと、
若だんなの徳兵衛が、
お春のへやのまえをとおりかかると、
戸が、すこしあいていて、
なんとはなしに、なかをのぞくと、
お春が、じーっと、たんすのなかを
みつめているではありませんか。
「なんや、お春のやつ、たんすのなか
のぞきこんで、なんかあるんかいな」

そこで、徳兵衛、お春がいなくなるのをまって、
こっそりしのびこむと、
たんすのひきだしを、あけてみました。
「ありゃりゃ、このおめんは――、
プッ、お春のおかんそっくりやんか。
お春のやつ、さびしなったら、このおめんに
あいにきとったんや。かわいやっちゃなあ」
ところが、なにをおもったか、
「よっしゃ」
というと、へやをでて、
すぐにひきかえしてきました。

お春のおめんをとりだすと、
かわりに、おにのめんを
さしいれました。
「お春のやつ、
びっくりするやろな。
わしは、かくれとって
もうええやろというときに
このおめんかぶって――、

おかんは、　こっち
おかんは、　こっち
ゆうてからこうたろ」
徳兵衛、　年がいもない
いたずらをかんがえたもんで……。

ところが、
きゅうな用を、　おもいだし、
ちょいと店へでていったきり、
おめんのことを、　コロッとわすれてしまいました。

ひとしごとおえて、
たんすのひきだしをあけた
お春は、びっくりぎょうてん。
「おかんの顔が、
おにの顔になっとる!!」
お春は、これはおかんに
たいへんなことがおこったと、
おもいこみ、

おにのめんを手にとると、
とるものもとりあえず、
うら木戸から
お店をとびだし、
わが家にむかいました。

「おーい、お春はどこや」
用をたのもうとおもった
お店のご主人の善右衛門さん、
番頭の喜助にきいても
「そういえば、みえまへんな」
としりません。
女中のお松も、お竹も、丁稚の梅吉も
しらないようで、

「おかしいなあ、
徳兵衛、おまえしらへんか」

「あっ！」

徳兵衛、おめんのことをおもいだし、

「しりまへんが、ただ、ちょっと……」

「ただちょっととは、なんやねん」

徳兵衛、自分のやったことを
善右衛門さんにはなすと、

「なんやてえ！あほなことしよって**」**

善右衛門さん、おめんを手にとり、
「ほんまに、お福さんにようにとるわ……。
こりゃあ、えらいこっちゃ」
もしものことがあってはと、
すぐ、店のものをよびあつめ、
「お春をさがせ！」

「井戸やっ、井戸をのぞけ――」

「えだぶりのええ松の木――」

「川、川を上から下へ――」

「なやのなかは、みたか――」

とまあ、えらいさわぎです。

徳兵衛は、まっさお。

善右衛門さんは、
番頭の喜助をよぶと、
「おむかいの近江屋はんのわかいもんにも
手つどうてもらえんかのう」
「近江屋はんは、きのうどろぼうにはいられて、
てんてこまいしたはります」
「ほんまかいな!!
暮れのせわしないときに、
どこもなんぎなこっちゃなあ」

お春の家は、河内屋のお店から、
おとなの足でも半日かかる
田舎にあります。
道をいそぐお春。
ひも暮れかかり、
おなかもペコペコ。
——と、草原のむこうから、
いいにおいがしてきます。
「こんな原っぱで、
なにしてんのやろ」
食べ物のにおいに、
お春は、がまんができず、
草原に、わけいっていきました。

ところが、かれたススキが
顔にあたり、いたい、いたい。
「そうや」
と、おにのめんを顔につけ、
すすみました。

いっぽう、草原のまんなかで、
たき火をしている男たち、
ガサガサと草原をすすんでくる音に、
なにものかと、みがまえました。
そこへ、ひょいと顔をだした
お春。

「うわーっ、
おに、おに、おに、
おに、
おにやーっ」
三人の男たちは、
なにもかもほうりなげて、
ころがるように
にげていってしまいました。

「あっ、しもた。
こりゃあ、おどろくわな」
おめんをはずしたお春は、
おきざりにされた、
ふろしきづつみをみて、
「わるいことしてしもた。
まあ、しばらくしたら
とりにもどってきはるやろ」
そして、火のしまつをすると、
おにぎりを
ひとつだけもらって、
もとの道へもどり、
わが家へいそぎました。

お春が、家についたのは、
夜になってからでした。
「お、お春やないか！
どないしたんや。
こんな夜おそおに」
おとんの利平は、びっくり。
お春は、おにのめんをみせながら、
わけを、はなしました。
「あほやなあ、おまえ。
それは、だれかに
いたずらされたんや」

「おかん。
ほんまにだいじょうぶか」
「あたりまえや、お春。
なんともあらへん」
「ああ、よかった」
「よかったやないわ。
おまえ、だれにもいわんと
でてきたんやったら、
お店で、
しんぱいしてはるやろう」
利平は、
すぐにもお店に
いこうとしましたが、
お春をやすませてから
でることにしました。

夜があけはじめるのをまって、
利平は、お春を大八車にのせて、
家をでました。

草原によってみると、
ふろしきづつみは、
そのままおかれていました。
「おにのおめんに、よっぽど
びっくりしたんやなあ」
お春がいうと、
「それにしても、こんなところで
たき火とは、へんなはなしや。
とりあえず、
お店にはこんでいくしか
あらへんな」
と、利平。
そして、つみおえると、
「えらいおもい荷や。
そやけど、
お昼まえには、
お店につけるやろ」

「ごめんください」
「利平さんやないか。
おつ、お春！」
善右衛門さんの顔が、
パッと、あかるくなりました。
「お春、ぶじか。
よかったあ」
みんなが、あつまってきて
すっかりわけをきくと、
「ひとりで夜道を――。
なんとまあ、親おもいな……。
こらっ、徳兵衛っ、
お春をみならえ！」
善右衛門さんの
かみなりが、おちました。
でも、いちばんほっとしたのは、
若だんなの徳兵衛。

「そりゃそうと、
そのふろしきづつみは……」
そとにとめてある、大八車の
つつみをひとつほどくと、
「なんや、これは、
近江屋はんの印やないか……。
あっ、ひょっとして、
ひょっとして」
ぬすまれたものに
ちがいないと、
徳兵衛と喜助は、
近江屋さんに、大八車を
ひっぱっていきました。

しばらくして、
ふたりが、とびこむように
店にはいってきて、
「まちがいおまへん。
ぬすまれたもんが、
のこらずあったそうで」
「おお、そうか！」
「それから、
みつけてくれたお春と
利平さんには、
年あけてすぐにでも
お礼をさしあげたいと
ゆうてはりました」
「よかったなあ、お春。
利平さん、大手がらや。
このお礼は、やすうないでえ」

「お礼ゆわれても
なんかようわかりまへんが、
新年になると、
お金もちになれるんで」
「まあ、そんなところや。
いゃあ、めでたい」

そういって、みんなが、
よろこんでおりますと、
ひょいと、おにのめんに
目をやったお春が、
「あららっ、
おにのめんが……

わろうてる」

「あっ、
来年(らいねん)のはなし
したからや」

落語絵本を作った人
川端誠さん

落語絵本シリーズ　その５「おにのめん」

このはなしは、毎年２月に国立劇場演芸場で開かれます『桂文我・桂梅団治二人会』の、99年第二回に、桂梅団治さんの演じました噺をネタに作りました。

落語ではまずお目にかからない女の子が登場し、しかも主人公をやるという珍しい噺で、そのせいか、落語らしいナンセンスというよりは、ホノボノとしたはなしで、場面転換も多く、ラストがいかにも映像的なので、絵本にしようと思いたちました。

登場人物の名前はあてずっぽうですが、みんな縁起のよい字がつくようにしました。「お春」は「新春」にちなんでいます。鬼の面をつけて顔を出すところは、どろぼうたちの前になっていますが、落語ではバクチをしている男たちの前です。

仲々うまいオチですが、「来年のことをいうと鬼が笑う」という諺を知らなくても、気のいい人たちの善意が集まって迎えるハッピーエンドに、思わず鬼も目尻をさげたと感じてもらえたらいいと思いましたし、この絵本が、この諺を知る始めであってもいいと思います。

会話文を関西弁にしましたのは、やはり最後の一言。これは関東弁では味がでないでしょう。なお、関西弁に関しては、クレヨンハウス大阪店の方々にアドバイスをいただきました。

かわばた・まこと　1952年生まれ。シリーズごとにテーマや表現技法をかえて、多様な世界を展開している。『鳥の島』『森の木』『ぴかぴかぷつん』『お化けシリーズ』（ＢＬ出版）など著作多数。絵本作家ならではの的をえた絵本解説も好評。落語絵本は、『ばけものつかい』『まんじゅうこわい』『はつてんじん』『じゅげむ』『めぐろのさんま』『ときそば』（いずれもクレヨンハウス）。最近の作品に『ピージョのごちそう祭り』（偕成社）など。

crayonhouse

発行日――――2001年４月第１刷　2023年９月20日　第24刷

発行人――――落合恵子

発行――――クレヨンハウス

東京都武蔵野市吉祥寺本町2-15-6

TEL 0422-27-6759　FAX 0422-27-6907

URL https://www.crayonhouse.co.jp/

印刷・製本――――大日本印刷株式会社

初出・月刊『クーヨン』2001年2月号「おはなし広場」